친절한효자손

https://brunch.co.kr/@chtistory

"친절한효자손 취미생활" 티스토리와 구글 블로그, 브런치스토리를 운영 중입니다. 블로그 운영에 대한 생각들과 디지털 드로잉 작품을 올리고 있습니다.

발 행 | 2024-01-24

저 자 | 친절한효자손

펴낸이 | 한건희

펴낸곳 | 주식회사 부크크

출판사등록 | 2014.07.15(제2014-16호)

주 소 | 서울 금천구 가산디지털1로 119, A동 305호

전 화 | 1670 - 8316

이메일 | info@bookk.co.kr

ISBN | 979-11-410-6848-6

본 책은 브런치 POD 출판물입니다.

https://brunch.co.kr

www.bookk.co.kr

현실에서
써먹는
매직카드

친절한효자손 지음

CONTENT

반갑습니다. "친절한효자손"입니다. 제 티스토리를 자주 방문해 주시는 분들께서는 이게 또 무슨 일인가 싶으실 겁니다. 그렇습니다. 제가 독립출판에 도전을 하게 되었습니다. (짝짝짝) 언젠가는 자유로운 그림으로 나만의 책을 한 번 출간했으면 좋겠다고 생각을 했고 그 바람이 드디어 이루어졌습니다. 지금까지 살아오면서 불만이었던 부분들을 카드 형식으로 디자인을 해봤습니다. 저는 게임을 좋아합니다. 특히 게임 UI 중에서 스킬이나 아이콘 디자인을 굉장히 좋아합니다. 바로 이 좋아함에서 시작된 아이디어였습니다. 현실에서 써먹을법한 마법의 카드가 있으면 참 좋겠다 싶었고 그냥 펜이 가는 대로, 뇌가 시키는 대로 그림을 그렸고 어떤 용도로 사용하면 좋을지 설명도 넣었습니다. 이렇게 하나 하나 그리다 보니 어느덧 책 한 권이 뚝딱하고 완성될 정도의 분량이 되었고요.

최대한 날것으로 제작하고 싶었습니다. 따라서 중간 중간에 날 것(?)의 표현을 그대로 서술했으니 보기 불편하실 수도 있는 점 미리 사과의 말씀을 드립니다. 최대한 필터링을 한다고는 했는데… 제 티스토리나 브런치스토리에 있는 글들을 자주 보신 분들은 아마 저의 글 스타일을 아실 겁니다. 솔직하게 글을 작성한다는 것을 말입니다. 생각 그대로를 표현하는걸 좋아하기도 하고 말을 빙빙 돌리는걸 잘 못하다 보니 그런 스타일이 그대로 글에도 묻어나는 것 같습니다. (하하)

현실에서 써먹는 매직카드는 말그대로 현실 세계에서 사용하면 굉장히 효과가 좋을 것 같은 마법의 카드라는 의미를 담고 있습니다. 개인적인 고충에서 더 나아가 사회 문제 까지를 다루는 매직 카드들로 구성되어 있습니다. 아마 충분히 공감하실 내용들이라고 생각을 하고요. 부디 이 책을 보시는 여러분들도 저와 비슷한 마음이셨으면 좋겠습니다.

매직카드 디자인은 모두 제가 직접 그린 것들입니다. 언젠가는 실물 카드로 만들어서 카드 배틀도 한 번 해보고 싶군요. 카드의 숫자와 속성은 그냥 만든 게 아니거든요. 다 이유와 목적이 있는 것입니다. 비록 부족해 보이는 책이지만 최선을 다해 만들었으니 의미 있게 봐주셨으면 좋겠습니다. 작가 인사말 끝!

001. 흡연의 방어막

공공장소 흡연자들에게 써먹을 수 있는 강력한 매직카드

흡연의 방어막

흡연자의 머리 중심으로부터 지름 50cm의 구 영역을 생성해 담배 연기가 퍼지지 않게 만든다.

카드명 : 흡연의 방어막

설명 : 흡연자의 머리 중심으로부터 지름 50cm의 구 영역을 생성해 담배 연기가
퍼지지 않게 만든다.

속성 : 베리어

체력 : 7

공격력 : 3

방어력 : 5

가치 : ★★★★★

모임 약속이 있어서 버스 정류장에서 빠스를 기다리고 있었다. 그런데 어떤 아재가 철 없이 공공장소에서 대놓고 담배를 피우고 있었다. 뭐 나름 배려한다고 살짝 떨어져서 담배를 피웠으나 하필 바람이 역풍이라 뽀얀 담배연기는 고스란히 필자의 호흡기 속으로 침투해 간접 흡입을 하고 말았다. 저 대책 없는 인간 때문에 필자의 소중한 폐는 약 3 정도의 대미지를 입은 듯하다. 아니 담배를 말이야! 왜 공공장소에서 펴 재끼는 것인가! 개념을 알프스 산맥에 날려버린 인간들이여! 흡연하지 말라고는 안 하겠다. 혼자 조용히 어디 독방에서 피우고 사회생활 좀 했으면 한다. 지구가 니께(?) 아니 잖아? 아무튼 저런 흡연자들을 발견했을 때 이 매직카드를 써먹어보고 싶다. 그럼 간접흡연 당할 일은 절대 없을 테니까. 끝.

002. 주둥이 꿰매기

입만 열면 똥 싸는 인간에게 써먹을 수 있는 유용한 매직카드

주둥이 꿰매기

막말하는 사람의 주둥이를 72시간 동안 절대 끊어지지 않는 봉인의 실로 꿰맨다.

카드명 : 주둥이 꿰매기

설명 : 막말하는 사람의 주둥이를 72시간동안 절대 끊어지지 않는 봉인의 실로 꿰맨다.

속성 : 블러드

체력 : 9

공격력 : 2

방어력 : 6

가치 : ★★★★

최근에 친척들 모임이 있었다. 강제로 참여시키는 것부터 마음에 들지 않았다. 난 친척들과 그다지 사이가 좋지 않다. 그렇다고 사이가 나쁜 것도 아니다. 그냥 관심이 없을 뿐이다. 어머니의 식구들, 그러니까 내 기준에서는 외가라고 부르는 가족이다. 사람은 모름지기 시간이 지날수록 철이 들어야 한다고 생각하는데 왜 나보다 나이가 많은 훨씬 어른들은 그렇지 못한 것일까? 입만 열면 외모 평가질에 막말이다. 그냥 좀 닥쳐줬으면 좋겠다. 그래서 나는 가족을 만들지 않기로 결심했다. 막말하는 사람은 마법의 봉인 실을 사용해 십자 매듭법으로 꿰매 버리고 싶다. 끝.

003. 외주의 요정

몸은 하나요, 일거리는 여럿일 때 사용하면 좋은 매직카드

카드명 : 외주의 요정

설명 : 당신이 자는 동안 밀린 외주 작업 중 랜덤한 확률로 1개의 작업을 완성시킨다. (쿨타임 720시간)

속성 : 현혹

체력 : 10

공격력 : 4

방어력 : 4

가치 : ★★★★

프리랜서의 삶은 불균형의 연속이다. 그래서 규칙적인 생활이 그리워질 때가 가끔씩 있다. 특히 일이 밀렸을 때는 더욱 그렇다. 꾸준히 일거리가 많으면 이 복잡한 생활 패턴 속에서 나름의 규칙을 정할 텐데 그렇지 않다 보니 우선순위를 정하는 것부터가 고난의 시작이다. 진짜 이럴 때는 분신술을 써서 나 자신을 여러 사람으로 만들고 싶은 심정이다. 이때 생각한 게 바로 외주의 요정이었다. 부디 필자의 앞에 외주의 요정이 나타나 줘서 뭐라도 좋으니까 한 개의 작업을 100% 완성도로 완벽하게 끝내줬으면 하는 바람이다. 끝.

004. 기억의 조작

괴롭거나 버티기 힘든 머릿속의 기억을 완전히 잊고 싶을 때
써먹는 매직카드

카드명 : 기억의 조작

설명 : 가장 고통스러운 기억 1개를 머릿속에서 영구 삭제한다.

속성 : 블러드

체력 : 5

공격력 : 6

방어력 : 2

가치 : ★★★★★

벌써 2년이 훌쩍 넘었다. 이제 곧 3년 차에 접어든다. 하지만 아직도 꿈속에 나타나 가끔씩 필자를 괴롭힌다. 한 가지 다행스러운 점은 한 해가 지날수록 조금씩 대미지가 약해져 간다는 점이다. 사람은 망각의 동물이라는 사실에 너무나 감사하다. 지금 이 순간에도 많은 사람들이 소중한 무언가를, 사랑했던 누군가를 잃어버린 빈자리의 공허함 속에서 쉽게 벗어나지 못하고 있을 것이다. 그럴 때 기억의 조작을 시도해보자. 쉽지는 않겠지만 결과만 좋다면 그 일로 인한 고통은 앞으로 더 이상 발생하지 않을 것이다. 끝.

005. 악플러 처단자

타인을 향한 삐뚤어진 마음씨를 온라인에서 펼치는 자들을 반
드시 처단하는 매직카드

카드명 : 악플러 처단자

설명 : 악플을 남기는 자를 매우 잔인하고 고통스럽게 잡아먹는다.

속성 : 블러드

체력 : 10

공격력 : 7

방어력 : 2

가치 : ★★★★★

흔히 키보드 워리어라고 부르는 악플러들. 악플은 텍스트로 저지르는 온라인 살인과도 같다. 악플러들은 본인들의 자존감을 타인에게 마음의 상처를 주면서 채워가는 디멘터보다도 못된 놈들이다. 칼만 들지 않았지 살인과도 같다. 실제로 온라인 악플러들 때문에 스스로 목숨을 끊는 사례가 발생하고 있지 않은가? 죄책감이라도 느끼면 그나마 다행일 텐데 악플러들은 마음이 뒤틀리고 깨지고 오염되어 아마 그러지 않을 듯하다. 이러한 악플러들은 제발 좀 이 지구상에서 사라졌으면 좋겠다. 이런 부분 때문일까? 야후재팬은 2022년 11월부터 댓글을 남길 때 실제 전화번호 등록자만 사용 가능하도록 업데이트되었다. 한국도 모든 뉴스 기사 및 커뮤니티에 이 시스템을 도입했으면 좋겠다. 이런다고 달라질까 하는 부분은 나중 문제다. 일단 도입하고 평가해도 늦지 않는다. 그래도 안 하는 것보다는 낫지 않을까 싶다. 악플러들 진짜 싹 다 고통스럽게 사망했으면 좋겠다. 끝.

006. 꽁초 리버스

주행 중 흡연하는 인간들을 위한 매직카드

꽁초 리버스

공공장소에서 흡연 후 담배꽁초 무단 투기 시 반전되어 원래 주인에게 돌아 간다.

카드명 : 꽁초 리버스

설명 : 공공장소에서 흡현 후 담배꽁초 무단 투기 시 반전되어 원래 주인에게 돌아간다.

속성 : 불

체력 : 8

공격력 : 5

방어력 : 3

가치 : ★★★

운전을 하다 보면 이따금씩 개념 없는 운전자들이 꼭 눈에 포착된다. 담배를 피우는 것도 모자라 담배꽁초를 꼭 주행 중 아무렇지 않게 도로에 투척한다. 당사자에게는 단순한 쓰레기 투척일지 몰라도 불씨가 고스란히 살아있는 꽁초가 누군가에게는 다이너마이트가 될 수도 있다. 실제로 담배꽁초로 인해 뒷 차량이 피해를 본 사례들이 있지 않은가? 제발 운전중일 때는 운전에만 집중했으면 좋겠다. 담배는 고속도로의 경우 중간중간 졸음 쉼터나 휴게소 흡연 구역에서 피웠으면 한다. 도심의 경우에는... 그냥 좀 목적지까지 참으면 안 되나? 제발 좀 운전자로서 책임 의식을 가지고 담배 연기 좀 도로에 배출 안 했으면 좋겠다. 끝.

007. 치킨 체인지

새로운 치킨에 도전하는 당신을 위한 매직카드

치킨 체인지

치킨을 원하는 맛으로 1회 변환시킨
다.

카드명 : 치킨 체인지

설명 : 치킨을 원하는 맛으로 1회 변환시킨다.

속성 : 포이즌

체력 : 4

공격력 : 3

방어력 : 2

가치 : ★

필자는 새로운 치킨 가게를 뚫는 모험을 즐긴다. 새 치킨, 새 맛! 같은 맛만 계속 섭취하면 질리기 때문이다. 남동생은 필자와 반대다. 무조건 맛있는 곳을 한 군데 발견했다면 몇 날 며칠을 그곳에서만 주문한다. 그것도 같은 맛으로 말이다. 진~짜 노잼라이프! 훌륭한 맛을 찾으려면 탐험은 기본인 것을... 이걸 모르는 남동생이 그저 안타까울 뿐이다. 허나 모험은 곧 겜블! 즉 도박이다. 맛있는 곳을 뚫었으면 다행인데 하필 오늘 주문한 치킨이 맛이 없다면 그것만큼 불행한 일은 없다. 그렇다고 다시 주문하기에는 부담이 있다.

"아~ 그냥 거기서 주문할걸 그랬나...?"

이런 생각이 떠오를 때마다 치킨의 맛을 한 번 바꿔주는 매직 카드가 있으면 해서 만들어 보았다. 치킨을 좋아하시는 분들이라면 누구나 다 갖고 싶어 하는 마법의 카드라고 확신한다. 끝.

008. 머더러 소울테이커

살인을 저지른 자들을 모두 이 땅에서 소멸시키는 사상 최고의
매직카드

머더러 소울테이커

살아있는 살인자들의 영혼을 육체로
부터 빼내어 거둔다.

카드명 : 머더러 소울테이커

설명 : 살아있는 살인자들의 영혼을 육체로부터 빼내어 거둔다.

속성 : 소울

체력 : 8

공력력 : 5

방어력 : 1

가치 : ★★★★

최근에 남성 중심 커뮤니티(디시인사이트, 일간베스트, 애꿈코리아 등)에서 살인 글이 자주 올라오고 있다. 예전부터 저 커뮤니티는 문제 있다고 그렇게 외치고 외쳤건만... 정부는 들은 척도 안 하더니 이제 저 회원들은 기가 살아서 넘어선 안 될 선을 훌쩍 넘어섰다. 사람 목숨을 장난 삼아 놀기 시작했다. 문제는 그게 진짜 장난인지 알 길이 없다는 것이다. 일반인 입장에서 말이다. 살인을 가장한 실제 살인예고 글일 수도 있는 거 아닌가?

상황의 심각성이 격상하자 정부는 드디어 장난으로 글을 올려도 강경 대응할 것이라고 으름장을 놓았지만 그게 과연 얼마나 효과가 있을까? 저 놈들은 또 낄낄거리며 장난글을 올리거나, 진짜 살인 계획을 세우고 있을 것이다. 한 가지 웃긴 점은 한국의 여성들이 살해당할 때는 조용하더니 이제 한국 남성들이 하나 둘 살해당하기 시작하니 정부가 움직이기 시작했다는 것이다. 여성은 국민이 아닌 모양이다. 또한 한국 법이 형편없는 게 살인을 했어도 절대 사형을 하지 않는다. 피해자 인권보다 가해자 인권이 더 소중한 나라라고 자신 있게 이야기할 수 있다. 그렇기에 법적 처벌보다 이 카드로 살인자들의 삶을 깔끔하게 끝내주고 싶다. 끝.

009. 더블 머니

누구나 간절히 원하는! 바로 그 매직카드!

카드명 : 더블 머니

설명 : 통장 잔고를 두 배로 늘린다. (쿨타임 200년)

속성 : 엠블렘

체력 : 6

공격력 : 4

방어력 : 5

가치 : ★★★

현재 한국은 임금 상승률보다 물가 상승률이 훨씬 높다. 따라잡을 수 없다. 돈을 모으려면 당연히 원하는 대로 살면 안 된다. 먹고 싶어도 어느 정도는 참아야 하고 큰돈을 절대 지출하는 일이 없어야 한다. 그리고 절대 큰 병에 걸려서도 안 된다. 또한 집값이 오르지 않아야 한다. 이런 식으로 절대 돈을 모으면 한 10년 후쯤에는 브랜드 아파트 정도는 살 수 있지 않을까 싶다. 그렇다. 실행 불가다. 소비는 어느 정도 컨트롤이 가능하겠지만 건강 문제는 내 영역에서 완전히 벗어난 카테고리다. 집값 상승도 그렇고 말이다. 이럴 때 통장 잔고를 더도 말고 딱! 두 배로 늘려주는 카드가 있다면 얼마나 좋을까? 참고로 쿨타임이 200년이기에 살아생전 딱 한 번만 사용할 수 있다.

이 카드를 모임 때 보여드렸는데 여러 의견이 나왔다. 한 분의 이야기가 되게 좋은 생각 같았는데 그분의 플랜은 이렇다. 대출을 최대한 당긴다. 지인들에게도 최대한 돈을 빌린다. (물론 잘 안 빌려줄 가능성이 높겠지만?!) 그렇게 최대치로 돈을 통장에 모아 놓고 이 카드를 사용한다. 그리고 갚을 건 갚는다. 이렇게 하면 의외의 자산 확보가 가능해진다. 왜 난 대출받을 생각을 못 했지...?! 아무튼 이 카드가 현존한다면 아마 누구라도 원하는 최강의 매직카드가 되지 않을까 싶다. 아니지, 차라리 이 카드를 경매 붙인다면 어마무시한 가치가 생기지 않을까? 반대로 목숨이 위태로워질 수도 있긴

하겠다. 요즘 틈만 나면 죽이겠다고 온라인에서 설치는 인간들이 한둘이 아니니까. 돈이 인생의 전부가 아닌 건 사회 생활을 하고 있는 누구든지 다 알고 있는 사실이지만, 돈이 삶을 유지하는데 너무나 절실히 필요하다는 것 또한 틀림없는 사실이다. 현실은 참으로 살아가기 퍽퍽한 생태계다. 끝.

010. 망각의 빛

잡생각으로 머리가 어지러울 때, 정신 사나울 때 정말 절실히
필요한 매직카드

카드명 : 망각의 빛

설명 : 복잡한 머릿속 잡생각을 정화한다.

속성 : 소울

체력 : 5

공격력 : 5

방어력 : 2

가치 : ★★

먹고 살 고민만으로도 복잡한 머릿속. 거기에 주변 지인들의 사건 사고 까지 곁들여진다면 아마 우리의 뇌는 용량 초과로 터지고 말 것이다. 혼자 생활하는 사회가 아니기에 필연적으로 타인과 얽힐 수밖에 없는 구조여서 한국의 현실에서 살고 있는 대부분 인간들은 아마 멀쩡한 정신을 가진 자 가 생각보다 많지 않을 것으로 예상된다.

필자의 경우는 이 글을 작성하는 날을 기준으로 3~4년간 굉장한 스트레 스를 받았다. 대인 관계에 있어서 말이다. 꿈에서도 나타나 괴로움을 선사 했을 정도다. 너무나도 잊고 싶은 일인데 쉽게 잊히지가 않는다. 게다가 그 생각은 꼬리에 꼬리를 물고 별 쓸데없는 잡생각까지 줄줄이 엮어 찾아온다. 그 일을 겪고 첫 한 해는 정말 괴로움의 연속이었지만 이 카드의 간접 효과 때문일까? 점차 괴로움의 강도는 줄어들고 있다. 현대인들에게는 이 카드 가 한 장이 아닌 여러 장... 아니, 어쩌면 몇 백 장이 필요할지도 모르겠다. 끝.

011. 느림의 가학

할 일은 많은데 시간이 없다면? 고통스럽지만 시간을 좀 더 늘리다면? 시간이 빠듯한 사람을 위한 매직카드

카드명 : 느림의 가학

설명 : 시전 시각을 기준으로 24시간 동안 시간을 세 배 느리게 가도록 만든다.

속성 : 엠블렘

체력 : 4

공격력 : 4

방어력 : 3

가치 : ★★

프리랜서다 보니 스케줄 관리가 들쭉날쭉할 때가 가끔씩 생긴다. 이벤트 성으로 말이다. 제 아무리 시간 관리를 잘한다 하더라도 일거리가 밀물처럼 밀려들어오면 누구나 살짝 버거울 것이다. 이럴 땐 급하게 끝내야 할 순위를 정하고 퀘스트를 수행하는 편인데 문제는 시간이다. 오죽하면 타임스톤이 존재하는 세계관이 있을까? 그만큼 시간의 힘은 누구에게나 공평하지만 그만큼 절대적인 힘이다. 시간의 힘을 잘 못 조율했다간 완전 작살나는 건 한 순간일 수도 있다.

시간을 잘 다루려면 그만큼 경험을 많이 해야 하고 그 과정에서 자신만의 패턴을 찾는 게 가장 키 포인트라고 생각한다. 근데 기회가 있어야 말이지... 방금도 이야기했듯 갑자기 많은 일이 닥치면 경험치가 0이기에 어떻게 풀어나가야 좋을지 감조차 오지 않는다.

매트릭스하면 이거지! (출처 : 구글 이미지)

불릿타임이라는 용어가 있다. 아마 미디어에서는 이 영화를 기점으로 불릿타임 기법이 정말 많이 사용되고 있는 듯하다. 바로 매트릭스다. 그렇다. 요원들이 총을 갈기는 순간 시간을 느리게 만들어 주인공이 멋지게 총알을 피하거나 아예 멈춰버리는 그 연출은 진짜 유명해졌으며 오늘날에도 꽤 많이 쓰인다. 심지어 게임에서도 사용된다. 이 불릿타임에서 힌트를 얻었다. 매트릭스에서 불릿타임으로 연출된걸 다시 현실 시간의 속도로 재생하면 주인공은 엄청 빠른 속도로 총알을 피하거나 순식간에 총알을 멈추게 하는

장면으로 보일 것이다. 마치 마블의 퀵실버나 DC의 플래시 같은 속도와 거의 유사해 보일 것이다.

그러므로 이 카드는 정말 시간이 촉박할 때! 마치 총알이 미친 듯 나에게 날아들 때 사용하면 요긴할 것이다. 불릿타임급으로 느려지는 건 아니지만, 무려 시간을 세 배나 느리게 흐르게 만들기에 그만큼 밀려든 일을 처리할 수 있는 여유는 3배로 늘어난다. 물론 이것도 제삼자가 다시 정상적인 시간으로 나의 동선을 확인해 본다면 분명 나는 다른 사람들보다 3배 빠른 속도를 사용하고 있는 것으로 보일 것이다. 결국 24시간 동안 발동하니 하루 정도는 타인 대비 수명이 3배나 깎여 나가는 것이 된다. 어쩔 수 없잖아?! 밀린 퀘스트를 지정된 시간에 모두 완료하려면 고통은 감내해야만 한다. 그래서 느림의 가학인 것이다. 끝.

012. 위크데이 브로커

(월화수목금) 토토토토일일일일… 평일을 깨부수는 매직카드

위크데이 브로커

주말(휴일)을 제외한 평일을 파괴한다.

카드명 : 위크데이 브로커

설명 : 주말(휴일)을 제외한 평일을 파괴한다.

속성 : 땅

체력 : 8

공격력 : 6

방어력 : 4

가치 : ★★★★

필자는 프리랜서라 요일 개념이 없다. 하지만 필자를 제외한 어머니, 남동생에게는 요일이라는 시스템이 살아 숨 쉰다. 월요일이 되면 늘 혼자만 덩그러니 집을 지키게 된다. 이모티콘 모임도 그렇다. 평일에는 저녁 시간에만 잠깐 모이는 정도만 허락된다. 다른 회원분들은 직장인이기 때문이다. 주말이 되면 평일에 여가 시간을 못 보낸 많은 직장인들의 소비문화가 왕성해진다. 따라서 어딜 가든 늘 인파가 붐비곤 한다. 평일에는 바쁘고 주말에는 몰리는 이런 현상을 조금이나마 해소하려면 아무래도 평일을 모두 박살내야 할 것 같다. 끝.

013. 야식의 요정

야식을 사랑하시는 모든 분들의 워너비 매직카드

카드명 : 야식의 요정

설명 : 야식을 먹어도 0Kcal로 적용된다.

속성 : 소울

체력 : 9

공격력 : 8

방어력 : 5

가치 : ★★★★★

야식, 사랑하는 내~ 야식! 둘도 셋도 넷도 없는 내 야식! (야식 정말 사랑해요!) 그렇다. 필자는 야식 마니아다. 배달앱 유료 회원을 사용할 정도로 말이다. 배달앱 3 대장이 스마트폰에 기본적으로 설치되어 있다. 하루하루 특가 세일 정보를 절대 놓치지 않는다. 그만큼 밤에 음식을 먹는 걸 좋아한다. 아마도 필자를 제외한 많은 분들도 공감하실 내용이라고 생각한다. 문제는 야식이 비만의 지름길이라는 것이다. 너무나 억울하지만 현실이다. 치킨에 로제떡볶이, 찜닭에 햄버거 앤드 피자! 라면 그리고 마라탕! 이 녀석들은 고칼로리 푸드다. 자고로 칼로리는 맛의 전투력이라고 하였다. 즉 전투력이 강한 음식일수록 그만큼 맛있다는 것이다. 녀석들과 전쟁을 치른 이후의 대가는 매우 혹독하다. 건강 악화 및 지방 증식으로 이어지기 마련이다. 하지만! 이 카드 하나면 이런 부작용을 막을 수 있을 것이다. 마음껏 야식을 즐길 수 있을 것이다. 야식을 행복하게 먹고 나서 죄책감에 빠질 이유도 없어진다. 장담하건대 이 카드의 가치는 지금까지 만든 매직카드 시리즈 중 가장 높을 것이라고 생각한다. 끝.

014. 번뜩이는 생각

아이디어가 떠오르지 않아 답답할 때! 머리가 잘 안 굴러갈 때
써먹는 매직카드

카드명 : 번뜩이는 생각

설명 : 새로운 아이디어를 1개 생각해 낸다.

속성 : 전기

체력 : 4

공격력 : 3

방어력 : 3

가치 : ★

그림 모임 회원분 중 한 분께서 도저히 좋은 아이디어가 떠오르지 않는다고 답답함을 호소하신다. 그의 심정을 잘 알고 있다. 필자 또한 같은 경험을 여러 번 했으며 아마 앞으로도 또 겪게 될 것이다. 창작은 아이디어 싸움이라고 해도 부족함이 없음이다. 한국이라는 나라는 땅이 좁아 천연자원이 타국 대비 없는 수준이다. 결국 인력만이 살아남는 길이 되었고 경쟁에서 살아남으려면 남들보다 좋은 아이디어가 엄청 강력한 무기가 된지 오래다. 좋은 아이디어는 비단 생존뿐만 아니라 이런 취미생활 영역에서도 마찬가지다. 카드 디자인만 해도 그렇다. 이번에는 어떤 카드를 만들지 고민이 있다. 재밌고 유용한, 기발한 그런 아이디어가 쉽게 떠오르지 않는다. 이모티콘만 해도 그렇다. 기똥찬 이모티콘 하나만 만들어도 평생 먹고살 수 있는 세상 아니던가? 역시 이런 대박 아이디어는 로또와 같아서 쉽게 찾아오지 않는 모양이다. 제발 딱 한 번! 인생에서 단 한 번이라도 좋으니 번뜩이는 생각으로 대박 아이디어가 나왔으면 좋겠다. 끝.

015. 침은 돌아오는거야

무단 침 투기와 무단 쓰레기를 아무렇지 않게 길거리에 내팽개
치는 분들을 위한 매직카드

카드명 : 침은 돌아오는거야

설명 : 길거리에 눌러붙은 가래와 침들이 원래 주인 입으로 되돌아간다.

속성 : 독

체력 : 7

공격력 : 2

방어력 : 4

가치 : ★★

한국 인도는 진짜 더럽다. 깨끗한 곳? 당연히 있다. 필자가 문제 삼고 싶은 건 당연히 더러운 길거리다. 쓰레기와 담배꽁초... 그리고 정말 쉽게 볼 수 있는 침자국들. 누가 왜 시작했는지 모르겠지만 필자가 고등학교 때 학교의 양아치 집단에 소속한 자들은 그렇게나 침을 찍찍 뱉어댔다. 누가 보면 히드라리스크 (스타크래프트 저그 유닛 - 정확히는 등뼈를 발사하는 공격 방식이지만 게임 상 화면에서는 마치 침을 뱉는 것과 같았음) 후손인 줄 알 것이다. 참으로 더럽기 그지없었다. 이런 잘못된 습관이 지금까지 이어져 오고 있는 게 아닐까라는 생각이 든다. 특히나 흡연자들은 담배를 한 모금 빨아재끼고 왜 그렇게 침을 뱉는 것일까?

아니 담배 연기로 인해 목에 가래가 생성되면 당연히 원흉인 담배를 피우지 말아야 하는데 니코틴은 신나게 빨아재낌과 동시에 더럽디 더러운 가래는 연신 길거리에 그렇게 뱉어댄다. 캬아아악~! 하는 단신에서 모든 기를 끌어모으는 기합과 동시에 목에 포진된 더러운 오물들을 그대로 입 밖으로 뱉어내고 있다. 이쯤 되면 한국 길거리들이 너무 불쌍해질 지경이다. 정 뱉고 싶으면 반드시 휴지를 사용하자. 그리고 당연하지만 그 휴지를 또 길거리에 버려서는 안 된다. 제발 침 좀 그만 뱉어라. 침도 우리 몸에 필요한 것이다. 그냥 생성되는 건 없다. 다 필요에 의해서 존재하는 것들 뿐이다. 끝.

016. 상사의 꾸짖음

전국의 직장인들을 위한 매직카드

카드명 : 상사의 꾸짖음

설명 : 직장 상자 또는 상급자에게 이유 없이 갈굼 당할 확률이 50% 감소한다.

속성 : 블러드

체력 : 9

공격력 : 5

방어력 : 7

가치 : ★★★★

필자는 현재 좋게 표현하면 프리랜서, 나쁘게 본다면 백수 상태다. 물론 한때 직장 생활 경험이 있다. 다행스럽게도 필자의 팀에는 어처구니없는 상사는 없었다. 딱 한번 근처 팀에서 원인도 모르는 이유로 필자에게 뭐라 뭐라 한 상급자가 있었다. 필자는 성격상 부당한 대우를 받거나 알 수 없는 이유로 갈굼을 당하면 반드시 따지는 스타일이다.

"근데 제가 지금 왜 뭘 잘못했길래 이런 소리를 듣는 겁니까?"

이렇게 말을 하고 그 후에도 분이 풀리질 않아서 부서 선임에게 바로 다이렉트로 보고했고 이후에 어찌어찌 화해로 결말이 났지만 영원히 해당 상급자와는 서먹한 관계가 되고 직장 라이프가 종료되었다. 뭔가 못마땅한 게 있으면 정확한 사유를 설명해야 납득을 해서 반성을 하던지 잘못을 고할 텐데 앞뒤 이유 다 잘라먹고 본인 하고 싶은 말만 하는 상사와 상급자들이 꽤 한국에 많은 것으로 알고 있다. 이들은 공통적으로 감정적이며 지극히 개인주의 성향을 띤다. 또한 자격지심이 심한 스타일일 가능성이 높고 허언증도 조금(?) 겸비했을 가능성이 높다. 가장 큰 문제는 본인이 현재 상태를 제일 모른다. 누가 알려줘도 인정하지 않는 것 또한 큰 문제다. 이 카드

73

는 이런 상급자가 많을 경우에 사용해 보면 좋을 것 같아서 제작해 보았다. 근데 글 쓰면서 다시 생각해 보니 차라리 이렇게 빻은 상급자들을 사건의 지평선으로 날려버리는 카드가 더 좋지 않을까 싶기도 하다. 하지만 저들도 누군가의 자식일 것이고 누군가에게는 소중한 사람일 수도 있지 않을까 라는 말도 안 되는 상상을 해본다. 아마 많은 직장인 분들도 이런 생각을 하며 마음속으로 이렇게 꾸역꾸역 마인드컨트롤을 하며 하루하루를 견디고 있는 것이 아닐까 싶다.

'관대한 내가 참는다... 폭력은 스펙에 도움이 되지 않는다...'

끝.

017. 나는 고양이로소이다

냥냥이들과 소통할 수 있는 유일한 매직카드

카드명 : 나는 고양이로소이다

설명 : 1시간 동안 고양이의 생각을 읽을 수 있다.

속성 : 소울

체력 : 7

공격력 : 3

방어력 : 6

가치 : ★★★

필자는 고양이를 매우 좋아한다. 길을 걷다가 고양이라도 마주하는 날이면 어김없이 입에서는 우쭈쭈 소리를 낸다. 그러면 대부분 냥이들은 마치 나를 같잖다는 기분으로 쳐다본다. 그것마저도 너무나 사랑스럽다. 그러다 진짜 우연히, 정말 우연히 의도치 않게 갑자기 당당히 꼬리를 치켜들며 필자에게 겁도 없이 다가오는 녀석이 있다.

"웨야아앙~~!"

이렇게 목청을 드높이며 말이다. 그러면 진짜 그날은 축복을 받은 날이나 다름이 없다. 필자는 조심스럽게 검지손가락을 녀석의 콧잔등 주변을 향하게 세운다. 그러면 녀석들은 몇 초 정도 킁킁거리며 냄새로 피아식별을 마치고 이 인간이 나쁜 닝겐이 아니라는 판단이 서면 힘차게 손을 밀어재껴 친근감을 표시한다. 아마 필자의 손에 자신의 체취를 남기고 싶은 것이리라! 그리고 다리 주변을 바짝 주행하며 열심히 부비부비를 시전 한다. 그러면 바지에 털이 한 바가지 묻어난다. 상관없다. 털이야 때내면 되는 거니깐.

과거에 만났던 구름씨. (이름은 필자가 임의로 지정)

왕 크니까 왕서방! (마찬가지로 임의로 이름 지어줌)

이 두 녀석은 꽤나 사람을 좋아했던 녀석들인데 어느 날부터 보이지 않는다. 털의 윤기와 살찜 상태를 보아서는 분명 보살핌을 받는 녀석이라는 걸 알 수 있었다. 부디 평소 돌봐주시는 분께서 아예 입양을 결심하고 데리고 가신 것이라고 생각하고 있다. 어디서나 건강히 잘 지내기를 바랄 뿐이다.

서로 대치중인 구름씨와 왕서방. 둘은 서로 안 친하다.

저 둘은 저 상황에서 서로 무슨 생각을 하고 있었을까? 너무 궁금하다. 일단 이 둘은 사람만 보면 '뉘에야앙!' 이라고 힘차게 울부짖는데 아마 이

랬을 것 같다.

"먹을 것을 내놓거라!"

분명 맞을 것이다.

뻥주둥이와 두툼한 발바닥이 무척이나 매력적이었던 녀석.

그리고 이 보거스 같은 녀석은 최근에 마주한 녀석이다. 말이 전혀 없는 녀석이었지만 우쭈쭈 하니까 거침없이 필자에게 다가와 주먹꿀을 시전한 녀석이다. 더욱 놀라운 점은 얘는 발바닥을 만져도 가만히 있다는 것이다. 이건 정말이지 엄청난 행운이다. 보통은 잘 안 그러는데... 녀석은 사람의 손 터치가 전혀 이상하지 않았던 모양이다. 애도 분명 돌봐주시는 분들이 잘 케어를 해주신 모양이다.

아무튼 이런 고양이들의 생각을 단 1분이라도 읽어보면 진짜 살 맛 나는 세상이 되지 않을까 싶은 생각이 있다. 현실에 치여 뭔가 무료한 라이프가

지속될 때 동물들의 순수한 마음을 배울 수 있지 않을까 싶다. 아닌가? 얘들도 자기 나름의 삶에 지쳐 하소연을 하려나...?

'내 드러워서 이 동네 뜨던가 해야지 이거야 원..!!!'

이런 생각을 가지고 있으려나...? 그러면 더 귀여운데 말이지. 크큭! 끝.

018. 축복받은 포스트잇

게으른 성격 탓에 자꾸 할 일을 미루는 사람을 위한 매직카드

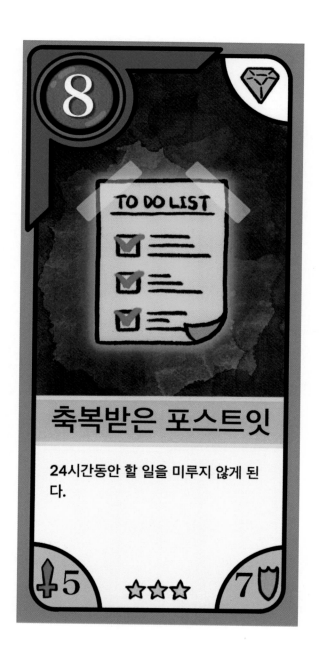

카드명 : 축복받은 포스트잇

설명 : 발동 후 24시간 동안 할 일을 미루지 않게 된다.

속성 : 엠블렘

체력 : 8

공격력 : 5

방어력 : 7

가치 : ★★★

필자는 완전 극한으로 게으른 성격은 아니지만, 그래도 제법 게으르다고 자신 있게 말할 수 있다. 이런 성격 탓에 오늘 할 일을 내일로 미루는 일이 꽤 많다. 지금 이 글을 작성하는 시점은 어느덧 올해의 끝자락으로 향해가는 10월이다. 올해 동안 만약 절대로 하루의 목표를 미루지만 않았어도 분명 지금보다 더 밝고 긍정적인 환경이 갖추어졌으리라. 절대로 미루지 않으려면 진짜 무언가 강제적인 외압이 있어야만 가능한 일일까? 예를 들어서 오늘 하루의 할 일을 모두 달성한다면 현금으로 100만 원을 주는 마법의 주머니가 있다던가 한다면...?

"?!"

어...!? 이거 방금 글 써 놓고 보니 이 카드보다 더 가치 있는 카드가 될지도?! 다음 유니크 카드로 목표 달성 시 돈을 주는 카드를 만들어야겠다. 갑자기 축복받은 포스트잇이 초라하게 느껴지는군~ 그래도 이 카드만 잘 사용한다면 기필코 더욱 밝은 미래가 보장되는 건 사실일 것이다. 끝.

019. 평일의 기쁨

평일도 주말과 같은 기분으로 즐기게 해주는 매직카드

평일의 기쁨

주말 및 휴일을 제외한 평일에 행복한
버프가 발동된다.

카드명 : 평일의 기쁨

설명 : 주말 및 휴일을 제외한 평일에 행복한 버프가 발동된다.

속성 : 소울

체력 : 5

공격력 : 4

방어력 : 6

가치 : ★

필자는 프리랜서다. 요일 개념이 없다. 모든 요일에 비슷한 감정과 기분을 가지고 있다. 요일 편견이 없다. 뭐 굳이 이야기하자면 직장인과 반대로 오히려 주말을 싫어하는 편이다. 왜냐하면 이따금씩 카페에 나가 작업을 할 때 평일보다 주말에 사람이 훨씬 많기 때문이다. 평일은 대부분 회사에 계실 테니 집 밖에서 작업하기 최적의 나날이다. 이런 이야기를 직장인 여러분들께 했다가는 싸대기를 맞을지도 모른다. 그러므로 지극히 직장인 여러분들 시각에서 필요한 카드를 만들고 싶었다. 이 카드는 그림 모임 때 한 회원분께서 아이디어를 주셨다. 주말에 모이는 그림 모임이라 그런지 역시 직장인 분들이 많고, 직장인 입장에서 유익한 카드를 필자보다 당연히 잘 알고 계셨다.

생각해 보니 일주일 내내 행복한 감정이라면 스트레스도 감소되고 행복 지수도 꽤 많이 상승할 것이다. 하지만 한국의 수많은 직장인 분들은 평일에는 일을 해야만 하고, 일은 곧 스트레스와 직결되어 있다. 주말과 휴일에 갈망하는 건 다 이유가 있는 법! 하지만 평일에도 행복한 기분을 만끽할 수만 있다면?! 그렇다면 과연 직장 생활도 행복해질까? 여기에서의 행복은 개인마다 차이가 있겠지만, 일단 이 카드가 발동되면 개인별로 평일에 일을 하면서 가장 행복했었던 그 생각과 감정을 재현시킬 수 있다. 지금까지의 경험 속에서 평일 직장 시간에 최고로 행복했었던 그 감정을 다시 느낄 수 있게 된다. 그러면 과연 많은 직장인 분들은 행복한 삶을 살 수 있을까?

　　이 아이디어를 처음 들었을 때는 약간 느낌이 마약과 비슷한 개념이 아닐까 싶었다. 왜냐하면 직장인의 스트레스 원흉은 일을 하는 것에서부터 나오는 것이고 그 과정에서 대인관계라던지 업무의 강도 등등으로 세분화될 것이다. 아무튼 가장 큰 원인이 일이다. 즉 일만 사라지면 행복해지는 건 시간문제일 텐데 이 카드는 안타깝게도 일 자체를 해결해주지는 않는다. 그래서 가치도를 가장 낮게 책정했다. 그래도 이왕이면 일을 하면서 스트레스 받는 것보다는 행복감을 느끼는 게 조금이라도 덜 스트레스를 받고 능률도 올릴 수 있지 않을까 싶다. 아마 이 아이디어를 주신 분도 분명 필자와 비슷한 생각을 하신 것이리라. 끝.

020. 제발 딱 한 번만

직장인이라면, 사회인이라면, 아니! 전 인류 모두가 원하는 바
로 그 매직카드

제발 딱 한 번만

복권 1등 당첨 확률을 100배 증가시
킨다.

카드명 : 제발 딱 한 번만

설명 : 복권 1등 당첨 확률을 100배 증가시킨다.

속성 : 행운

체력 : 9

공격력 : 8

방어력 : 8

가치 : ★★★★★

필자는 복권을 한 번도 구매한 적이 없다. 지구상에서 불로소득이라는 건 없다고 생각하기 때문이다. 결과는 노력에 의한 것이고 그 대가를 돈으로 받게 된다. 물론 여기에는 약간의 운도 따라주지만, 운은 지속 시간이 상당히 짧다. 그러므로 충분한 노력이 백그라운드에 깔려야 수익이라는 결과를 만들 수 있을 것이다. 복권은 노력만으로 되는 영역이 아니다. 100% 운이다. 아무튼 복권을 매주 정기적으로 구매하시는 분들은 분명 1등을 노리고 구매하시리라 생각이 된다. 예전에 로또 1등 확률을 계산해 봤는데 약 0.00001227738% 라는 확률이었다. 이러니 벼락 맞을 확률보다 낮다는 소리가 나오는 것이다. 솔직히 여기에서 100배를 해봐야 0.001227...% 다. 이게 과연 의미 있는 확률일까 싶다. 그래서 로또 같은 복권은 절대 하지 않는다. 돈 버리는 일이라고 생각한다. 그럼에도 불구하고 매주 복권을 구매하시는 분들은 이 카드가 완전 가치 높은 카드일 것이다. 끝.

021. 내 뇌에 저장장치

이것만 있으면 절대 까먹지 않음! 건망증이 심한 사람을 위한
매직카드

내 뇌에 저장장치

한번 본 내용을 영구적으로 기억한다.
(경험 포함)

카드명 : 내 뇌에 저장장치

설명 : 한번 본 내용을 영구적으로 기억한다. (경험 포함)

속성 : 브레인

체력 : 7

공격력 : 4

방어력 : 7

가치 : ★★★★

필자는 건망증이 심한 편은 아닌데 어쩌다가 사용한 물건의 마지막 위치를 기억하지 못할 때가 아주 가끔씩은 이벤트식으로 발생한다. 그럴 때마다 환장하겠다. 분명 이곳에 있어야 할 그 물건이 없으면 너무 답답하다. 이럴 때마다 두뇌가 야속하다. 머리가 협조를 해주지 않으니 통탄스럽다. 그깟 마지막 사용 장소 기억하는 게 뭐 그리 힘든 일이라고 이렇게 한 순간에 잊어버리다니?! 스스로 한심하기 그지없다. 이럴 때마다 스스로 의심한다. 어쩌면 나의 뇌는 HDD나 SSD가 아닌, RAM(메모리)가 아닐까 하고 말이다. 하루 잠을 푹 자고 일어나면 데이터가 몽땅 삭제되는 램의 영역... 그래서 까먹는 건 필연적인 게 아닐까 싶다.

점점 스마트 웨어러블 제품들의 퀄리티가 좋아지고 있다. 이제 운동 기구에도 스마트 디바이스가 포함되기도 하고 당뇨병 환자들을 위한 혈당 체크 기기가 스마트폰과 연동되기도 한다. 아마 머지않은 미래에는 이제 번역앱도 필요가 없을지도 모른다. 스마트 글라스로 모든 나라의 언어를 모국어로 실시간 번역하게 될 것이고 스마트 이어폰으로 상대방의 언어를 실시간으로 번역해 청취가 가능할 것이다. 인공지능 AI가 발달됨에 따라 인간의 삶도 그만큼 쾌적하게 변할 것이다. 하지만 이런 인공지능에 기대는 만큼 뇌의 기억력은 반비례하는 느낌이다. 그렇기에 언젠가는 인간용 보조 기억 장치가 나오지 않을까 싶다. 끝.

022. 레그 락

망측한 쩍벌남들을 위한 매직카드

레그 락

공공장소에서 다리를 벌리고 앉으면
강제로 오므리게 만든다.

카드명 : 레그 락

설명 : 공공장소에서 다리를 벌리고 앉으면 강제로 오므리게 만든다.

속성 : 물리

체력 : 3

공격력 : 1

방어력 : 4

가치 : ★

지하철이나 버스 같은 대중교통 내에서 다리를 유독 심하게 벌리고 앉는 남성들이 가끔씩 필자의 시야에 포착된다. 그럴 때마다 생각한다.

'포경수술 한 거라면 집에 얌전히 있을 것이지...'
'택시를 타라고...! 다른 사람이 옆에 못 앉잖아!'

아마 필자뿐만 아니라 꽤 많은 사람들이 쩍벌사태에 대해서 그리 긍정적인 의견을 주지는 않을 것이라고 생각한다. 그러나 남을 비판하려면 본인부터가 그러지 않아야 한다는 걸 잘 안다. 그렇기에 공공장소에서 최대한 다리 각도를 의식하고 있고 쩍벌남이 되지 않기 위해서 꽤 많은 신경을 쓰고 있다. 다리를 벌리고 앉는다는 건 타인을 전~혀 고려하지 않는 것이며 이기주의자인 셈이다. 요즘 가뜩이나 개성을 강조하고 있는데 타인에게 피해를 끼치는 개성조차 구별이 잘 되지 않는 듯한 분위기여서 상당히 못 마땅하게 생각하고 있다. 부디 이 글을 보시는 분들은 절대로 그러지 않았으면 좋겠다. 언젠간 이 카드를 써먹게 될지도 모르니까. 끝.

023. 아침잠의 요정

여유 있게 기상하자! 아침잠이 많은 사람을 위한 매직카드

카드명 : 아침잠의 요정

설명 : 타임 슬로우 효과로 기상 시간을 500% 늦춰 잠을 더 잘 수 있다.

속성 : 시간

체력 : 6

공격력 : 2

방어력 : 4

가치 : ★★

필자는 프리랜서다. 아침잠이라는 게 없다. 어떤 프리랜서분들은 시간을 정해서 하루 일과를 상당히 규칙적으로 효율도를 높여 쓰지만 필자는 전혀 그런 게 없다. 즉흥이 거의 99%여서 그날그날 생각나는 걸 실천하는 편이다. 그렇기에 딱히 정해진 취침 시간도, 기상 시간도 없다. 근데 이 카드를 왜 만들었냐고?

한국인들 중에서 가장 많은 비중을 차지하는 카테고리가 아마 직장인이 아닐까 싶었기 때문이다. 필자도 한때 직장 생활을 했었기에 아침잠의 소중함을 너무 잘 안다. 전날 일찍 자는 건 아무짝에도 소용없다. 그냥 아침잠이 많은 사람이 있다. 그게 나다. 그러니까 오전 11시쯤 일어나야 개운한데 직장인 모드에서는 이게 실행 불가니까 하루의 바이오리듬이 늘 박살 나는 상태였던 것이다. 그렇기에 취침 시간을 어떻게든 늦춰서 단 1분이라도 잠을 청하는 게 솔직히 산삼보다도 귀하다고 할 수 있을 것이다. 자! 이 카드로 아침잠을 5배 즐겨보자! 끝.

024. 샤워기의 요정

자동 식기 세척기? 이것은 자동 바디 세척기! 알아서 샤워를
해주는 매직카드

샤워기의 요정

자동으로 샤워를 시전한다.

카드명 : 샤워기의 요정

설명 : 자동으로 샤워를 시전 한다.

속성 : 물

체력 : 5

공격력 : 3

방어력 : 3

가치 : ★★★

조금 있으면 날아다니는 자동차가 나올 판이다. 이제 AI가 코딩도 해주고 그림도 그려주며 음악도 만들어준다. 기술력은 나날이 발전하고 있는데 참 아이러니하게도 이 몸 하나 자동으로 씻겨주는 그런 제품은 아직 없다. 자동 세차는 오래전에 이미 도입되었고 식기세척기도 성능이 엄청 좋아졌다. 근데! 왜! 어째서! 인간은 아직도 수동으로 세면세족을 해야 하는 것이냐 이 말이다. 씻는다는 행위는 엄청나게 힘든 카테고리는 아니다. 일부 사람들은 씻는 걸 엄청 좋아하기도 한다. 솔직히 무슨 마음인지는 잘 이해가 되지 않지만 사실이다.

필자는 상상한다. 화장실 특정 공간에 대자로 누워있으면 자동 샤워 시스템이 가동돼서 알아서 온몸 구석구석 세척이 되는 그런 말도 안 되는 상상을 말이다. 머리도 자동으로 감겨준다. 샤워를 진행하면서 동시에 마사지도 해준다. 미리 선곡해 둔 음악도 흘러나온다. 일단 첫 번째 트랙은 무조건 질풍가도로 해 놓을 거다. 그래야 샤워하는데 파이팅이 넘치기 때문이다. 샤워가 완료되면 건조도 자동으로 해준다. 물기가 다 마르면 이제 바디로션도 자동으로 발라준다. 캬... 진짜 이런 기계가 있으면 생활 만족도가 급격하게 향상될 것 같다. 이 제품이 나오기 전까지는 이 카드가 그 자리를 대신해 줄 것이다. 끝.

025. 브랙퍼스트 캡슐

든든한 아침밥 버프를 받을 수 있는 매직카드

카드명 : 브랙퍼스트 캡슐

설명 : 아침식사 효과 버프가 발동한다. (든든함 3시간)

속성 : 치유

체력 : 4

공격력 : 3

방어력 : 5

가치 : ★★★

필자는 하프 올빼미 라이프의 바이오리듬에 맞춰져 있다. 정말 늦게 취침하지도 않고 그렇다고 일찍 자는 것도 아니다. 물론 최대한 일찍 자려고 노력은 하는데 그게 어디 뜻대로 될 문제인가? 아무튼 직장 생활을 하지 않다 보니 아침 식사를 한다는 이벤트는 거의 발생하지 않는다. 아침 일찍 일어나서 스케줄을 소화해야 하는 일이 없는 한 말이다.

사실 이 카드는 스스로를 위한 카드가 아니다. 한국의 수많은 아침형 인간들을 위한, 꼭두새벽부터 기상 후 출근 준비를 하시는 많은 분들을 위한 카드다. 또한 청소년들을 위한 카드다. 필자는 기억한다. 필자 또한 중고등학교 때 아침을 먹는 일이 거의 없었다. 먹어도 부실하게 대충 먹었다. 왜냐하면 잠을 자는 게 더 중요했으니까. 이런 안타까운 현실 때문에 이 카드를 제작해 보았다. 아침밥은 중요하다. 하루의 시작을 든든하게 맞이해야 하니까. 면역력 증진에도 도움이 되고 말이지. 끝.

026. 마법의 망토

이것만 있다면 교통 혼잡이 두렵지 않아! 누구나 상상했었던
바로 그 매직카드!

마법의 망토

날아다닐 수 있다.

카드명 : 마법의 망토

설명 : 날아다닐 수 있다.

속성 : 바람

체력 : 7

공격력 : 3

방어력 : 3

가치 : ★★

대전은 서울에 비교하면 당연히 교통 혼잡이 심하지 않다. 출퇴근 시간 대에 잠깐 밀리는 정도다. 그래도 혼잡한 건 변함없다. 드론이 발달하면서 이제 하늘을 날아다니는 무인 택배기도 나오기 시작했고 이제 호버 택시도 슬슬 윤곽을 드러내고 있다. 그리 머지않은 미래에는 진짜로 날아다니는 차량이 상용화될지도 모를 일이다. 과학 기술의 발전은 정말 빠르게 흐르고 있다. 다만 좋은 쪽으로 흘렀으면 하는 우려는 있지만 말이지.

어렸을 때 슈퍼맨이라는 영화를 보고 보자기를 등 뒤로 둘러 매어 하늘을 날아다니는 코스튬 플레이를 해 본 기억이 있다. 하늘을 날아다닌다는 건 대체 어떤 기분일까? 과학 기술의 힘을 벗어나 순수 자연의 물리 법칙만으로 하늘을 나는 새처럼 인간도 과연 순수하게 자율 비행이 가능해지는 시기는 과연 찾아올까? 불가능하다면 이런 마법의 망토가 현실에 존재한다면 정말 신날 것 같다. 살아생전에 하늘을 자유롭게 날아다닐 수 있는 기회가 주어진다면 꼭 그 기회를 움켜쥐고 싶다. 끝.

027. 좌변기의 요정

물때가 곰팡이의 집합체였어?! 내 엉덩이를 소중하게 생각하
는 매직카드

좌변기의 요정

30일 동안 좌변기를 깨끗하게 관리해
준다.

카드명 : 좌변기의 요정

설명 : 30일 동안 좌변기를 깨끗하게 관리해 준다.

속성 : 회복

체력 : 9

공격력 : 5

방어력 : 3

가치 : ★★★

좌변기를 늘 깨끗하게 관리해야 한다. 일상생활 속에서 마주하는 미생물의 가짓수는 실로 어마무시하다는 걸 최근 알게 되었다. 요즘 유튜브에서 과학 채널을 즐겨보는데 상당히 재미있다. 미생물 분야도 상당히 흥미로웠는데 사람과 사람이 만나는 과정에서도 꽤 많은 미생물들이 옮겨진다는 사실에 살짝 충격을 받았다. 혹시 여러분들은 그것을 아는가? 세면대를 오래 사용하다 보면 뭔가 때의 띠(?) 같은 형상을 보신 분이 계실지도 모르겠다. 그건 곰팡이다. 곰팡이들의 도시가 만들어진 결과물이라고 한다. 와... 나는 그것도 모르고 이제껏 곰팡이 물로 세수를 하고 있었던 거다. 사실을 알자마자 바로 왁스를 풀어 싹싹 문질러 모두 제거했다.

인간의 삶 속에서는 1년 365일 늘 물이 마르지 않는 생활필수품이 하나 있다. 그렇다. 좌변기다. 좌변기 안 쪽에는 늘 물이 고여있다. 따라서 무조건 물때 비슷한 것들이 미세하게 형성이 되어 있을 것이다. 물이 내려가는 시간보다 고여있는 시간이 압도적으로 많으니까. 특히 1인 가구이면서 직장인이신 분들은 더욱 격차가 벌어진다. 그러므로 세균이 가장 좋아하는 서식 장소도 좌변기다. 화장실 청소를 할 때에도 가장 힘든 구간이 좌변기 청소다. 그래서 이 좌변기를 늘 무균 상태로 깨끗하게 관리해 주는 요정이 있으면 정말 좋겠다고 생각이 들어서 한번 마법의 카드를 제작해 보았다.

덧붙여서 소신발언을 하나 해보려고 한다. 좌변기에 소변을 보시는 남성분들 중에서 아마 대부분은 서서 볼일을 볼 것으로 추측한다. 필자는 앉아서 소변을 보기 시작한 지가 3년이 넘었다. 사연은 이렇다. 과거 아버지가 가족 구성원 시절이었을 때 소변을 서서 봤다. 그 바람에 소변 + 변기물이 사방에 튀었다. 남성 여러분들은 잘 알 것이다. 소변 줄기가 바로 변기를 향할 때도 있지만 때로는 그렇지 않고 뭔가 물 호수 끝을 꽈악 두 손으로 꼬집듯 움켜쥐었을 때의 물줄기가 어떻게 뿜어져 나오는지를 말이다. 그렇게 분출되는 경우도 종종 있다. 그땐 그냥 사방이 암모니아다. 이 탓에 어머니께서는 늘 소변을 좀 잘 보라고 잔소리를 하셨고 아버지는 들은 척도 하지 않았다. 그때 이후로 필자는 앉아서 소변을 본다. 더욱 나아가 이제 소변을 보고 나서 휴지로 요도 속에 남은 잔여 소변을 흡수해 마무리한다. 이렇게 하니까 잔여 소변이 속옷으로 유입되어 축축해지는 찝찝함을 해결할 수 있었다. 그러니 우리 남성분들, 지금이라도 늦지 않았으니 앞으로는 앉아서 소변을 보는 것은 어떤가? 이건 정말 강추다. 바지에 튀는 것도 방지해 주고 좌변기를 깨끗하게 관리도 하고 일석이조다. 소변 잔여물 흡수를 위한 휴지 사용도 정말 추천한다. 팬티가 쾌적하다. 끝.

028. 이니셜 D

도로 위의 살인자와 같은 사람들을 처단하는 매직카드

카드명 : 이니셜 D

설명 : 혈중알코올농도가 0.00% 초과인 사람이 운전할 경우 차를 즉시 다른 차원으로 보내버린다. (D는 Death를 의미함)

속성 : 소울

체력 : 10

공격력 : 7

방어력 : 8

가치 : ★★★★★

심심하면 들려오는 사건 사고 중 하나가 바로 음주운전이다. 음주운전은 그야말로 도로 위의 살인마다. 본인은 물론이거니와 다른 사람의 목숨을 위협하는 매우 큰 범죄다. 도대체 왜 알코올을 섭취 후 운전대를 잡는 것일까? 그건 법으로 금지하고 있고 범죄라는 사실을 모르는 것일까? 걸리고 안 걸리고의 문제가 아니라 알코올로 인한 운전 실수가 벌어질 확률이 급증해서 타인의 삶을 송두리째 앗아갈 수 있는 가능성이 매우 높은 행위인데 전~혀 문제의식이 없다는 건 뇌의 사고 판단 회로 중 어딘가 고장이 난 게 분명하다고 필자는 생각한다. 이 카드는 알코올 운전자들을 모두 사건의 지평선 너머로 날려버리는 효력을 지녔다. 설명에는 차가 이동된다고 명시되어 있는데 그 차 내부의 모든 것도 함께 이동되므로 당연히 운전자도 같이 이동된다. 혹시 동승한 사람은 어떻게 되냐고? 같이 이동된다. 버젓이 음주운전인걸 알고 동승했을 가능성이 높으니까. 끝.

029. 눈깔 후벼파기

안 겪어본 사람들은 절대 모르는 그것! 시선강간하는 사람들을
응징하는 매직카드

눈깔 후벼파기

시선강간하는 자들의 안구를 적출한다.

카드명 : 눈깔 후벼파기

설명 : 시선강간하는 자들의 안구를 적출한다.

속성 : 블러드

체력 : 9

공격력 : 8

방어력 : 9

가치 : ★★★★★

과거 일이다. 전 여자친구와 뷔페를 갔었다. 맛있게 식사를 하고 있는데 대각선에 앉은 약 60대로 보이는 노인이 계속해서 여자친구를 위아래로 훑어보기 시작했다. 그것도 술을 한 잔 마시면서 말이다. 아마 애인이 있는 분들이라면 이런 상황을 겪고 그냥 넘어갈 사람은 거의 없으리라 생각한다. 처음에는 우연히겠지 싶었는데 그 짓거리를 계속해서 하니까 순식간에 화가 머리끝까지 치솟음을 느꼈다. 하지만 지금 바로 성질내면 증거도 없거니와 다른 선량한 손님들에게 실례가 될 것이다. 그래서 조용히 매니저를 소환했다.

"저기 저 어르신이 자꾸 여자친구를 위아래로 기분 나쁘게 쳐다봅니다. 주의 좀 주시고 저 사람을 다른 곳으로 옮겨 주세요."

이렇게 정중하게 화를 꾹꾹 눌러가며 이야기했는데, 그 매니저의 이야기가 한번 더 화를 돋웠다.

"어? 저분은... 그러실 분이 아닌데요...?"

이게 지금 말인가 방귀인가? 너무 황당하고 어처구니가 없었다. 순간 말문이 막힌 건 저때가 처음이었다.

"아니, 그럼 지금 제가 거짓말을 한다는 건가요...?"

"아... 아니요. 손님, 그게 아니고... 저분이 저희 가게 자주 오시는 분이신데, 늘 젠틀 하셔서 말이죠..."

"그걸 저희가 어떻게 알아요? 전 본 대로 말씀드린 겁니다."

"아... 음...."

조용조용하게 이야기할 수밖에 없는 상황이었다. 음식점 내부는 다른 손님이 많았으니까. 이 가게 매니저부터 이 지랄이니 여기는 답이 없다고 생각했고 너무 기분이 더러웠던 우리들은 그냥 음식점을 나갔다. 물론 계산은 확실히 하고 나갔다. 진짜 제대로 먹지도 못했는데 말이지!

"봐 봐 저 손님들, 일부러 저런 거라니까? 돈 안 내려고? 아니 저분이 얼마나 젠틀 하신 분인데~ 참, 나 아오 거지 커플들 진짜...ㅋㅋㅋ"

이 말이 나올까 봐 계산을 철저하게 하고 나간 것이다. 결국 그 음식점에서는 죄송하다는 소리를 전혀 듣지 못했다. 필자는 이후에 절대로 그 브랜드 음식점을 가지 않고 있다. 지금도 그 남성 노인은 누군가를 시선강간 하고 있을 것이고 매니저는 저분이 그럴 리 없다면서 가해자 편을 들고 있을 거니까.

이밖에도 길거리를 같이 걷다 보면 남자 노인들이 그렇게 여자친구를 뚫어져라 위아래로 훑어봤다. 필자 혼자 밖을 다닐 때는 절대 이런 경험이 없다. 그래서 확신할 수 있다. 이 나라에서 얼마나 많은 남성들이 여성들을 시선강간 하고 있는지 말이다. 그래서 이 카드를 만들었다. 진심 시선강간 하는 놈들은 눈깔을 모두 후벼 파버리고 싶다. 끝.

030. 사랑의 단두대

한국에서 안전한 곳이 있긴 해? 길거리 시민을 위협하는 자들을 처단하는 매직카드

카드명 : 사랑의 단두대

설명 : 길거리의 흉기 소지자를 모두 처단한다.

속성 : 저주

체력 : 7

공격력 : 6

방어력 : 5

가치 : ★★★★

그림에서는 별이 두 개뿐인데 실수를 한 부분이다. 사실 별이 4개짜리 카드다. 꽤 가치가 높은 카드지. 이유는 여러분들도 카드 설명을 보시면 잘 알 것이다. 한국에서 심심하면 터지는 게 흉기 사건이다. 길거리에서, 공원에서, 그 어떤 곳이든 장소를 마다하지 않고 흉기 사건이 끊이질 않고 있다. 한국은 안전한 나라가 아니다. 특히 여성분들에게는 더 큰 공포일 것이다. 얼마 전에도 어머니께서 근무하시는 일터 바로 앞에서 흉기 살인 사건이 발생했다. 그 이야기를 듣고 가슴이 철렁했다. 만약, 진짜 만~약에 어머니께서 잠깐 앞에 일이 있어서 그 시간에 일터 앞을 지나가는 상황이었다면? 피해자 분께는 정말 죄송한 마음이지만, 그때 우리 어머니가 그 장소에 없어서 천만다행이라는 생각이 들었다.

더 웃긴 건 사람을 죽여도 이놈의 한국 법은 진짜 가해자들을 어찌나 극찬이 모시는지 형량이 진짜 적게 나온다. 살인을 하면 최소 무기징역이 나와야 한다고 생각하는데 20년, 30년 이 정도 수준이다. 피해자 가족들은 이 판결이 나오면 피꺼솟일 것 같다. 사건과 전혀 관련 없는 필자가 봐도 어이가 없는 판결 결과인데 피해자와 관련 있는 분들은 얼마나 열받고 어이가 없을까? 나이가 들수록 한국이라는 나라가 점점 싫어지고 있다. 끝.

-마치며-

어떠셨나요? 마음에 드는 매직카드가 있으세요? 지금까지 사회 생활을 경험해 오면서 겪고 느꼈던 부분을 마법의 카드라는 판타지 세계관을 빌려서 이야기해본 생각 정리 시리즈가 "현실에서 써먹는 매직카드" 콘텐츠입니다. 매직카드 시리즈는 지금도 계속해서 만들어 나가는 중입니다. 지구상 모든 사람들이 다른 사람에게 피해를 주지 말고, 공중도덕만 잘 지킨다면 굳이 이런 매직카드가 대부분은 필요 없는 세상이 될 것 같은데 만만치 않습니다. 주변 지인에게 이런 이야기를 해 보면 '어쩔 수 없다' 라는 답변 뿐이네요. 어쩌면 저는 저만의 대나무 숲이 필요했던 모양입니다. 이 책이 조금이라도 사람들의 생각 변화에 도움이 된다면, 공감이 되어 조금은 답답한 마음이 해소될 수 있었으면 좋겠습니다. 혹시 여러분들께서 원하는 매직카드가 있다면 저에게 이메일을 보내주셔도 좋습니다. 너무 환영합니다. 기왕이면 사연을 담은 내용이면 더 좋아요.

그런데 카드에 체력, 공격력, 방어력, 속성, 가치 같은 설정은 왜 넣었냐고요? 나중에 제가 만든 이 매직카드 시리즈로 실물 카드를 만들어서 카드 게임을 상상해 봤습니다. 실제로 플레이해보면 재밌지 않을까 싶었어요. 중학교 때 보드 게임을 만들었는데 인기가 꽤 좋았었거든요. (하핫) 현재 목표는 100장을 완성하는 것입니다. 실제로 완성된 카드를 출력해서 손으로 만져본다면 엄청 뿌듯할 것 같아요. 소장 가치도 있을 것 같고요. 그럼 앞으로도 매직카드 시리즈를 응원해 주시면 감사하겠습니다. 끝!

E-Mail : rgy0409@gmail.com

BrunchStory : https://brunch.co.kr/@chtistory

값 12,000원
03810

9 791141 068486
ISBN 979-11-410-6848-6

엄마의 순간들

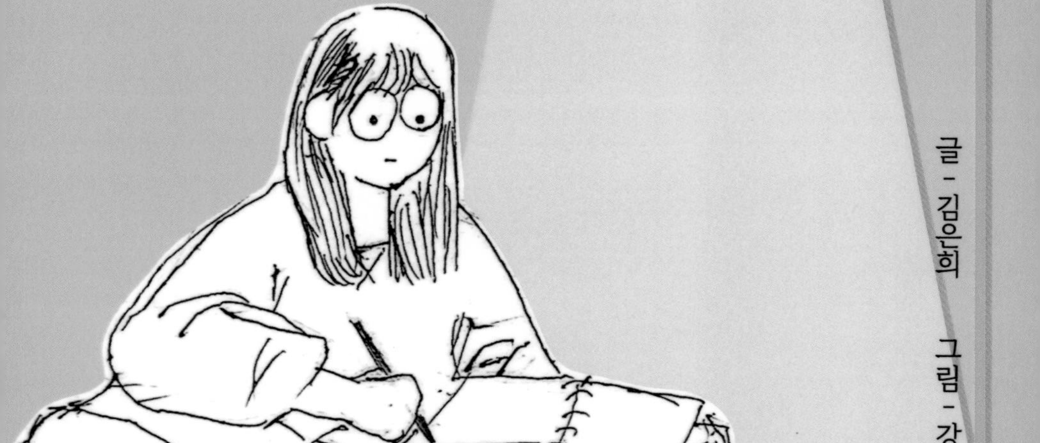

글 - 김은희
그림 - 강푸름

BOOKK